Pour ma fille Nina
Christian Guémy

En couverture, portrait de Jon Cartwright, Oslo (Norvège)
Toutes les photographies sont de C215

© Cheyne, 1998 pour le texte
© Albin Michel, 2014 pour la présente édition
22, rue Huyghens, 75014 Paris
www.albin-michel.fr
Dépôt légal : second semestre 2014
N° d'édition : 21460 • ISBN-13 : 978 2 226 25756 7
Imprimé en Italie chez LEGO

Conception graphique : Delphine Guéchot

Franck Pavloff

Matin Brun

œuvres de **C215**

Albin Michel

Les jambes allongées au soleil,
on ne parlait pas vraiment
avec Charlie, on échangeait
des pensées qui nous couraient
dans la tête, sans bien faire attention
à ce que l'autre racontait de son côté.
Des moments agréables, où

on laissait filer le temps

en sirotant un café.

Lorsqu'il m'a dit qu'il avait dû faire piquer son chien, ça m'a surpris, mais sans plus. C'est toujours triste, un clebs qui vieillit mal, mais passé quinze ans, il faut se faire à l'idée qu'un jour ou l'autre il va mourir.

— Tu comprends, je pouvais pas
le faire passer pour un brun.
— Ben, un labrador, c'est pas trop sa couleur,
mais il avait quoi comme maladie ?
— C'est pas la question,

c'était pas un chien brun, c'est tout.

— Mince alors, comme pour les chats,
maintenant ?
— Oui, pareil.

Pour les chats, j'étais au courant.
Le mois dernier, j'avais dû me débarrasser
du mien, un de gouttière qui avait eu
la mauvaise idée de naître blanc, taché de noir.
C'est vrai que la surpopulation des chats
devenait insupportable, et que,

d'après ce que les scientifiques de l'État national disaient,

il valait mieux garder les bruns.
Que des bruns. Tous les tests de sélection
prouvaient qu'ils s'adaptaient mieux
à notre vie citadine, qu'ils avaient
des portées peu nombreuses
et qu'ils mangeaient beaucoup moins.

Ma foi, un chat, c'est un chat,

et comme il fallait bien résoudre le problème
d'une façon ou d'une autre, va pour le décret
qui instaurait la suppression des chats
qui n'étaient pas bruns.
Les milices de la ville distribuaient gratuitement
des boulettes d'arsenic. Mélangées à la pâtée,
elles expédiaient les matous en moins de deux.
Mon cœur s'était serré, puis on oublie vite.

São Paulo (Brésil)

Vitry-sur-Seine (France)

Les chiens, ça m'avait surpris un peu plus,
je ne sais pas trop pourquoi, peut-être
parce que c'est plus gros, ou que c'est
le compagnon de l'homme, comme on dit.
En tout cas, Charlie venait d'en parler
aussi naturellement que je l'avais fait
pour mon chat, et il avait sans doute raison.
Trop de sensiblerie ne mène pas à grand-chose,
et pour les chiens, c'est sans doute vrai
que les bruns sont plus résistants.
On n'avait plus grand-chose à se dire,
on s'était quittés, mais avec une drôle
d'impression.

Comme si
on ne s'était pas tout dit.
Pas trop à l'aise.

Quelque temps après, c'est moi qui
avais appris à Charlie que

le *Quotidien* de la ville
ne paraîtrait plus.

Il en était resté sur le cul : le journal
qu'il ouvrait tous les matins
en prenant son café crème !

— Ils ont coulé ? Des grèves,
une faillite ?
— Non, non, c'est à la suite
de l'affaire des chiens.
— Des bruns ?
— Oui, toujours. Pas un jour sans
s'attaquer à cette mesure nationale.
Ils allaient jusqu'à remettre en cause
les résultats des scientifiques.
Les lecteurs ne savaient plus
ce qu'il fallait penser, certains même
commençaient à cacher leur clébard !

– À trop jouer avec le feu...

— Comme tu dis, le journal a fini
par se faire interdire.
— Mince alors, et pour le tiercé ?
— Ben mon vieux, faudra chercher
tes tuyaux dans les *Nouvelles brunes*,
il n'y a plus que celui-là. Il paraît que
côté courses et sports, il tient la route.

Mbour (Sénégal)

Puisque les autres avaient passé
les bornes, il fallait bien qu'il reste
un canard dans la ville, on ne pouvait
pas se passer d'informations tout de même.
J'avais repris ce jour-là un café avec Charlie,
mais ça me tracassait de devenir un lecteur
des *Nouvelles brunes*. Pourtant, autour
de moi les clients du bistrot continuaient
leur vie comme avant :

j'avais sûrement tort
de m'inquiéter.

Bassano del Grappa (Italie)

Après, ça avait été au tour des livres
de la bibliothèque, une histoire
pas très claire, encore.
Les maisons d'édition qui faisaient partie
du même groupe financier que le *Quotidien*
de la ville étaient poursuivies en justice et

leurs livres
interdits de séjour

sur les rayons des bibliothèques.
Il est vrai que si on lisait bien ce que
ces maisons d'édition continuaient de publier,
on relevait le mot *chien* ou *chat* au moins
une fois par volume, et sûrement pas toujours
assorti du mot *brun*. Elles devaient bien
le savoir tout de même.

— Faut pas pousser, disait Charlie,
tu comprends, la nation n'a rien
à y gagner à accepter qu'on détourne
la loi, et à jouer au chat et à la souris.
Brune, il avait rajouté en regardant
autour de lui, souris brune, au cas
où on aurait surpris notre conversation.

Par mesure de précaution, on avait pris
l'habitude de rajouter *brun* ou *brune*
à la fin des phrases ou après les mots.
Au début, demander un pastis brun,
ça nous avait fait drôle, puis après tout,
le langage, c'est fait pour évoluer
et ce n'était pas plus étrange de donner
dans le *brun* que de rajouter *putain con*,
à tout bout de champ, comme on le fait
par chez nous. Au moins, on était bien vus
et on était tranquilles.
On avait même fini par toucher le tiercé.
Oh, pas un gros, mais tout de même,
notre premier tiercé brun. Ça nous avait
aidés à accepter les tracas des nouvelles
réglementations.

Vitry-sur-Seine (France)

Un jour, avec Charlie, je m'en souviens bien,
je lui avais dit de passer à la maison
pour regarder la finale de la Coupe des coupes,
on a attrapé un sacré fou rire. Voilà pas
qu'il débarque avec un nouveau chien !
Magnifique, brun de la queue au museau,
avec des yeux marron.
— Tu vois,

finalement il est plus affectueux que l'autre,

 et il m'obéit au doigt et à l'œil.
Fallait pas que j'en fasse un drame, du labrador noir.

À peine il avait dit cette phrase que
son chien s'était précipité sous le canapé
en jappant comme un dingue. Et gueule
que je te gueule, et que même brun,
je n'obéis ni à mon maître ni à personne !
Et Charlie avait soudain compris.
— Non, toi aussi ?
— Ben oui, tu vas voir.
Et là, mon nouveau chat avait jailli comme
une flèche pour grimper aux rideaux
et se réfugier sur l'armoire. Un matou
au regard et aux poils bruns. Qu'est-ce
qu'on avait ri. Tu parles d'une coïncidence !

— Tu comprends, je lui avais dit,
j'ai toujours eu des chats, alors...
Il est pas beau, celui-ci ?
— Magnifique, il m'avait répondu.
Puis on avait allumé la télé,
pendant que nos animaux bruns
se guettaient du coin de l'œil.

Je ne sais plus qui avait gagné, mais je sais
qu'on avait passé un sacré bon moment,
et qu'on se sentait en sécurité. Comme si
de faire tout simplement ce qui allait
dans le bon sens dans la cité nous rassurait
et nous simplifiait la vie.

La sécurité brune, ça pouvait avoir du bon.

Bien sûr, je pensais au petit garçon que j'avais
croisé sur le trottoir d'en face, et qui pleurait
son caniche blanc, mort à ses pieds. Mais
après tout, s'il écoutait bien ce qu'on lui disait,
les chiens n'étaient pas interdits, il n'avait qu'à
en chercher un brun. Même des petits,
on en trouvait. Et comme nous, il se sentirait
en règle et oublierait vite l'ancien.

Sète (France)

Et puis hier, incroyable, moi qui
me croyais en paix, j'ai failli me faire
piéger par les miliciens de la ville,

ceux habillés de brun,
qui ne font pas de cadeau.

Ils ne m'ont pas reconnu,
parce qu'ils sont nouveaux dans le quartier
et qu'ils ne connaissent pas encore tout le monde.
J'allais chez Charlie. Le dimanche,
c'est chez Charlie qu'on joue à la belote.
J'avais un pack de bières à la main, c'était tout.
On devait taper le carton deux, trois heures,
tout en grignotant.

Et là, surprise totale : la porte de son appart
avait volé en éclats, et deux miliciens plantés
sur le palier faisaient circuler les curieux.
J'ai fait semblant d'aller dans les étages
du dessus et je suis redescendu par l'ascenseur.
En bas, les gens parlaient à mi-voix.
— Pourtant son chien était un vrai brun,
on l'a bien vu, nous !
— Ouais, mais à ce qu'ils disent, c'est que,
avant, il en avait un noir, pas un brun. Un noir.
— Avant ?
— Oui, avant. Le délit maintenant, c'est aussi
d'en avoir eu un qui n'aurait pas été brun.
Et ça, c'est pas difficile à savoir,
il suffit de demander au voisin.

J'ai pressé le pas. Une coulée
de sueur trempait ma chemise.
Si en avoir eu un *avant* était un délit,
j'étais bon pour la milice.
Tout le monde dans mon immeuble
savait qu'avant j'avais eu un chat
noir et blanc. *Avant!* Ça alors,
je n'y aurais jamais pensé!

São Paulo (Brésil)

Ce matin, Radio brune a confirmé la nouvelle.
Charlie fait sûrement partie des cinq cents
personnes qui ont été arrêtées. Ce n'est pas
parce qu'on aurait acheté récemment un animal
brun qu'on aurait changé de mentalité, ils ont dit.
« Avoir eu un chien ou un chat non conforme,
à quelque époque que ce soit, est un délit. »
Le speaker a même ajouté :

« Injure à l'État national. »

Et j'ai bien noté la suite. Même si on n'a pas eu
personnellement un chien ou un chat non conforme,
mais que quelqu'un de sa famille, un père, un frère,
une cousine par exemple, en a possédé un,
ne serait-ce qu'une fois dans sa vie, on risque
soi-même de graves ennuis.

Je ne sais pas où ils ont emmené Charlie.
Là, ils exagèrent. C'est de la folie. Et moi
qui me croyais tranquille pour un bout
de temps avec mon chat brun.
Bien sûr, s'ils cherchent *avant*, ils n'ont pas fini
d'en arrêter, des proprios de chats et de chiens.

Je n'ai pas dormi de la nuit. J'aurais dû me méfier
des Bruns dès qu'ils nous ont imposé
leur première loi sur les animaux. Après tout,
il était à moi mon chat, comme son chien pour Charlie,
on aurait dû dire non.

Résister davantage, mais comment ?

Ça va si vite, il y a le boulot,
les soucis de tous les jours. Les autres aussi baissent
les bras pour être un peu tranquilles, non ?

New Delhi (Inde)

On frappe à la porte. Si tôt le matin,
ça n'arrive jamais. J'ai peur.

Le jour n'est pas levé,
il fait encore brun dehors.

Mais arrêtez de taper si fort,

j'arrive.

Mirleft (Maroc)

São Paulo (Brésil)

Dublin (Irlande)

AKE AR
NOT WA

Sète (France)

La nouvelle *Matin brun*, éditée à ce jour à 2 millions d'exemplaires, a fêté cette année son seizième anniversaire, et figure encore parmi les meilleures ventes de livres en France.

Écrit pour le salon du livre antifasciste de Gardanne en 1997, publié dans un recueil collectif «Éclairer sans brûler» (Actes Sud), *Matin brun* a poursuivi son aventure par ma rencontre avec un éditeur de poésie du Chambon-sur-Lignon: Cheyne Éditeur. L'époque était à la banalisation de l'intolérance, du racisme, de la xénophobie, des discours simplistes et nationalistes. Avec des moyens limités, nous avons alors décidé d'éditer ce texte (avec le soutien formidable des libraires Sorcières) pour montrer que les démissions quotidiennes de chacun d'entre nous facilitent et nourrissent la montée insidieuse des idées totalitaires dans la société. Une allégorie, une fable efficace qui n'entre pas dans le registre de la morale mais dit simplement au lecteur:

«*Dans votre vie de tous les jours, quel que soit votre âge, que faites-vous pour empêcher qu'adviennent ces matins bruns de sinistre mémoire?*»

Ce texte s'est imposé peu à peu hors des grands circuits de distribution, avec l'aide des libraires, des enseignants, des bibliothécaires, des sympathisants, des hommes et des femmes citoyens et le coup de pouce de journalistes, comme Vincent Josse qui l'évoqua en radio lors de l'inquiétant deuxième tour des élections présidentielles de 2002.

Ceux qui le lisent se dépêchent de l'offrir à leurs amis, comme un support à toute réflexion sur la montée du totalitarisme et des extrémismes. Certains font référence aux années trente, d'autres à des événements tout à fait récents, certains accentuent leur analyse sur l'enfermement, d'autres sur nos petites lâchetés, nos démissions, certains y voient une fable sociale, d'autres un rappel à nos valeurs personnelles. L'universalité du propos a propulsé les traductions de *Matin brun* dans plus de vingt-cinq pays qui analysent le texte selon le profil spécifique de leur société. Ce beau voyage littéraire, qui incite les lecteurs à échanger, à se rencontrer par-delà les frontières, à s'engager aussi, n'est pas près de s'arrêter!

Matin brun a été repris au théâtre, à la télévision, à la radio, il est étudié dans les collèges et lycées, où je me déplace souvent. Depuis quelques années, des lecteurs m'invitent à créer un livre «différent», un livre d'artiste que l'on pourrait garder dans sa bibliothèque, offrir. Je cherchais autre chose que des images explicatives, une peinture forte, à l'énergie vitale. Le magnifique travail de C215 est dans cette veine dénonciatrice et humaniste. Avec lui, *Matin brun* descend dans la rue, s'empare des murs, donne la parole à tous ces visages colorés dont le regard sans concession nous interpelle avec force.

Ni couleur imposée ni pensée unique, nos matins seront libres.

FRANCK PAVLOFF, juin 2014

FRANCK PAVLOFF, de parents bulgares, a passé sa jeunesse à Nîmes. Après des études de psychologie et de sociologie, il a travaillé plus de vingt années en Afrique, en Asie, en Amérique latine, dans le secteur du développement social communautaire et de la défense du droit des enfants.

Romancier, il a écrit une trentaine de livres, dans les domaines de la fiction romanesque, de la jeunesse, de la poésie. Ses derniers romans sont édités par Albin Michel.

BIBLIOGRAPHIE (extraits)

Le Pont de Ran-Mositar, Albin Michel, 2005, Livre de poche
La Chapelle des Apparences, Albin Michel, 2007
Le Grand Exil, Albin Michel, 2009, Livre de poche
Pondichéry-Goa, Carnets Nord, 2010
L'Homme à la carrure d'ours, Albin Michel, 2012, Livre de poche
L'Enfant des marges, Albin Michel, 2014

C215 (CHRISTIAN GUÉMY) est un artiste urbain, pochoiriste français, né en octobre 1973. Ses sujets de prédilection sont l'enfance, les laissés-pour-compte, les anonymes, les amoureux, mais aussi les chats. Ses œuvres, de la bichromie aux compositions les plus colorées, sont à échelle humaine, mais il a aussi réalisé un mur peint de 25 m de hauteur à Paris, près du métro Nationale. Reconnu au niveau international, Christian Guémy présente des œuvres peintes sur objets de recyclage dans de nombreuses galeries, en France et dans le monde. Il travaille et vit à Vitry-sur-Seine, en banlieue parisienne, où il a invité des centaines d'artistes internationaux à poétiser sa ville.

www.c215.fr